D0992739

JUMP COMICS

NARUTO
―ナルト―

巻ノ二十

ナルトVS(バーサス)サスケ!!

岸本斉史(きしもとまさし)

主な登場人物

音の四人衆

前巻までのあらすじ

木ノ葉隠れの里、忍術学校の問題児だったナルトはサスケ、サクラとともに忍者の仲間入りを果たす。中忍選抜試験に臨んだナルトたちは大蛇丸の急襲を受ける。大蛇丸はサスケの身体に呪印を残して姿を消す…。〝第三の試験〟本選に進んだナルトとサスケだったが、戦いの最中、大蛇丸たちの〝木ノ葉崩し〟が始まる。そして火影の命を代償に〝木ノ葉崩し〟は終結したかに見えた…。

自来也とナルトは五代目火影、綱手を探す旅に出る。一方、綱手は大蛇丸の甘言に心を乱すが、迷いを断ち切り、大蛇丸たちを相手に闘いを挑む。自来也やナルトも加わった死闘は、それぞれの痛み分けに終わった。

NARUTO
—ナルト—
巻ノ二十
ナルトVSサスケ!!

172：帰郷

木ノ葉もずいぶんと様変わりしたね
………

今日から私がこの里を治める
五代目火影だ…

スタ
スタ

よくあやつを説得出来たな…
なに！男前のワシがひとこと言えばイチコロだのォ！
ギャハハ!!

…毒盛られてイチコロになりそうだったのはどっちだってばよ！

…では早急に大名を呼び五代目火影の就任祝いをしなくてはな
ゲンマ アオバ…里の者々にもこの事を…
は！

ちょい待ち!!
それより先に綱手のバアちゃんはやることがあるってばよ

自来也…
誰だったっけ!?
帰り途中に言ったばかりだろ!
カカシの小僧とうちはのガキ…
それにリーって名のガイの教え子だ

スタ
スタ
スタ
スタ

お!
スタ
スタ
ナルトじゃねーか…

何でお前がこんなとこいんだよ?
ズリ
そっちこそ! 何でこんなとこに来てんだってばよ 奥は忍者登録室があるだけだろ!?

実はちょっとめんどくせーことになっちまってよ

?
何だってばよ?

お お久しぶりっス 綱手様 自来也様
おお! 奈良家のガキか!
で…そっちは子供か?

鹿の世話はちゃんとやってるか?
あの辺の鹿の角はいい薬になる
ハイ

おい ナルト 若けーくせにあのえらそーな女誰だよ?
コソコソ
!

新しい
火影だってばよ
それと ホントは
ああ見えて
50代なんだぞ!

!

じゃあな…
また
そのうちな
ハイ!

シカマル!
シカマル!
また
後で会おーぜ!
タッ
オレの
すっげー新技
見せてやっから!
じゃな!!

コラ ナルト!
忍が術を
見せびらかして
どーする!
イテ!
ゴチ

ふーーー…
……

あの女が
五代目に
なるんだってよ
何者だ
あの女?

ズイ
お〜〜〜い
シカマルよォ
あの人ぁ…
この世で一番強く
美しい女だぜ〜…
なんせ"三忍"の
紅一点だから
なぁ…

あ〜あ…
女が火影かよ
女ってのは
どーも苦手
なんだよな
ワガママで
口うるさいし
よ…

みょ〜に
さばさばしてる割に
やたらつるむし
仲いいんだか
悪いんだか
よく分からねーし…

大体
男が自分の
思い通りになると
思ってっからな
とにかく
めんどくせーぜ
女は…

………

シカマルよォ…女がいなきゃ男は生まれねーんだぜ
女がいなきゃ男はダメになっちまうもんなんだよ

どんなにキツイ女でもな〜ホレた男にゃ優しさを見せてくれるもんだ

お前も年頃になりゃ分かる
いつも母ちゃんに頭上がんねーくせによく言うぜオヤジの奴…

おっといけねェ！
お前はこれから用事があんだろ？
じゃオレは先帰るぜ〜母ちゃんにどやされっから
……

……
女がいても駄目になる男もいるってことだな…

2
2
2
3

2の方向 後方 50メートル以内に
7羽………

!
テンテンか…

あ・・あの綱手様が帰って来たんだって!ネジ!!
ホンモノよ!ホンモノ!!
しかも五代目火影になるって!一緒に見に行かない!?

悪いな…
別に興味無い

……
8羽だったか…

焼肉Q

へぇ~~~いつもやる気の無いアンタでもちょっとはマトモに見えるわね~
ハハハ似合ってない
ジュ~…

笑うなっての
ジュ〜〜〜…

とりあえずシカマルの中忍昇格を祝って
カンパイだな
いただきま〜〜〜す!
あ!
チョウジ!カンパイ前に肉食べないの!!
ジュウウウウ

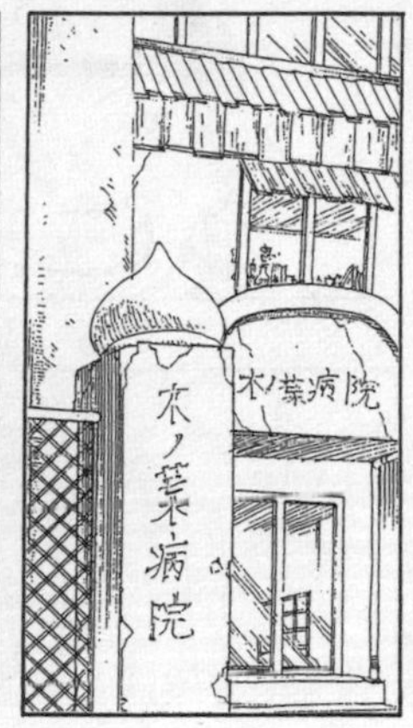
木ノ葉病院
木ノ葉病院

………

入るよ
ズッ
!

…アナタは…?
きれいな人…

サクラちゃん
もう大丈夫
だってばよ!
ヒョコ
スゲー人
連れて来た
から!

ナルト…!

へへへ

あの2本…同じ日の花じゃないね…毎日来てるのか…この子

!
ペコ
ガイ先生からお話は聞いています
サスケくんを…サスケくんを助けてあげて下さい!

ああ!任せときな!

スッ

ブウン

じき目覚めるだろう…
………

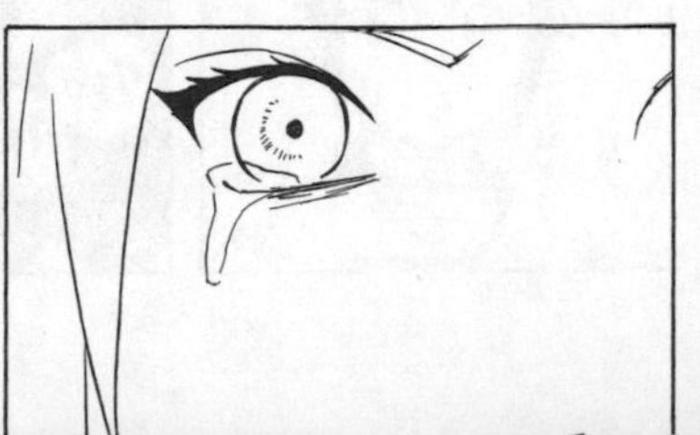

パシャアア

いいぞ！赤丸
空中ダイナミックマーキング決まったぜ!!
次は3回ひねりだ！狙いを定めろ!!
ワン！
クルンクルン

ひゃっほォ〜!!
ザザッ
…………

…あれが散歩と言えるのか？
いや言えないな
これでは落ち着いて虫の採集も出来ない

ブ〜ン
ウジャ
ウジャ

いいなぁ…三人とも…趣味があって
私も何か楽しいこと見つけようかな…

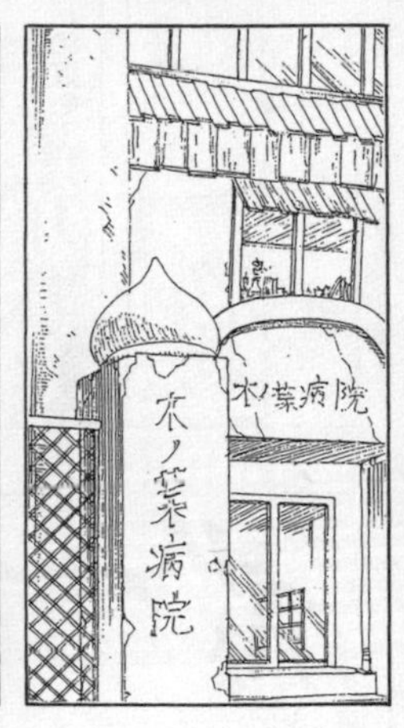
木ノ葉病院
木ノ葉病院

サスケくん…
……

……

サスケ…
おま…

……

……

スッ

フン…
ああ見えて結構気が利くじゃない
ナルトの奴も…

木ノ葉病院
木ノ葉病院

ボーーー…
………

たかだか二人の賊にやられるとはお前も人の子だねェ…
天才だと思ってたけど
こんな奴のことより次は我が弟子リーを見てやって下さい!!
グキ

一楽 ラーメン 一楽

シカマルが中忍!!?
なんで!?なんで!?
たとえ
本選で負けても
資質が認められれば
中忍とすると 火影様が
おっしゃっていたろ…
シカマルは
中忍試験を頭脳的に
戦った…
里での協議で そこが
高く評価されたんだ

えっ… じゃ!
サスケ…
サスケは!?
上がったのは
シカマル
だけだよ

ふ～～～

木ノ葉病院
病院

ドキドキ

こ……
これは…!!

祝!! 4周年!!!!
岸本さん 体に気を付けてこれからも頑張ってください! 2003.11.8
おおくぼあきら

ナンバー173‥
苦悩する者たち

……

……
どうなんです？

トン
!

悪いことは言わない
お前もう忍はやめろ

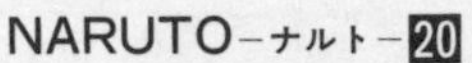

!!?

!!?

ハハハ…
綱手様 そんなボケは要らないですよ

重要な神経系の周辺に多数の骨破片が深く潜り込んでる

とても 忍としての任務をこなしていけるような状態じゃない
例え手術をしたとしても…

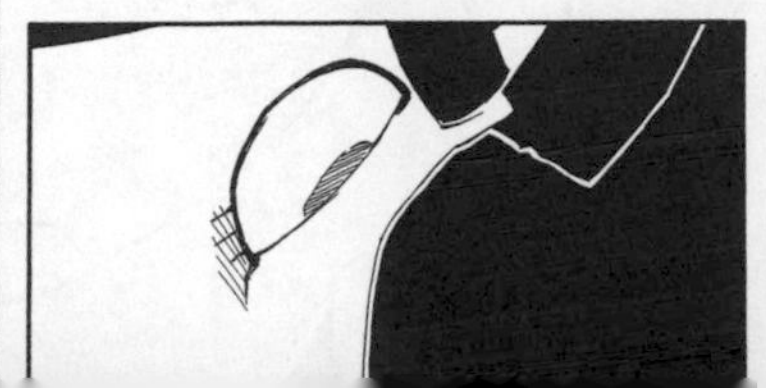

リー！こいつは綱手様の偽者だ！
え～～い！変化の術で化けたんだなぁ～!!
この性悪め！お前は一体何者だぁあ!!

……

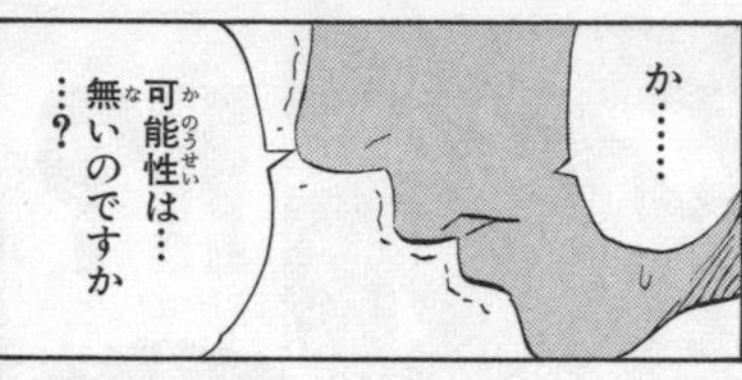
か……
可能性は…無いのですか…?

私以外には無理な手術の上
時間がかかり過ぎる…
それに大きなリスクを伴う…

…リスク…?

……
手術が成功する確率は 多分良くて50%

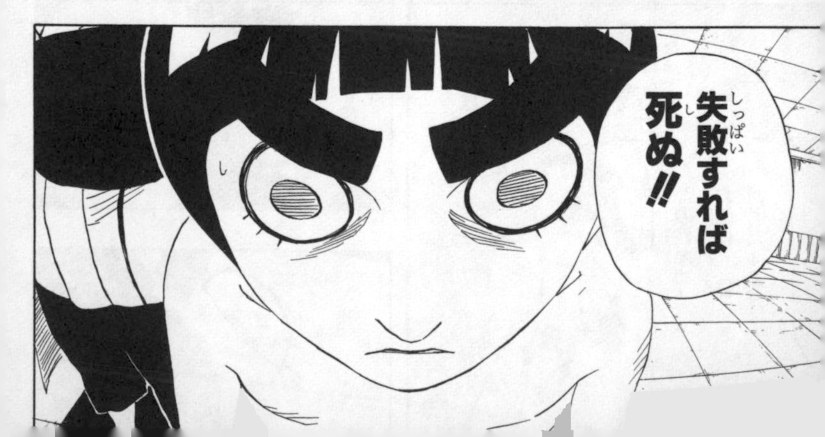
失敗すれば死ぬ!!

!!

もし成功したとしても
長いリハビリ生活になるだろう

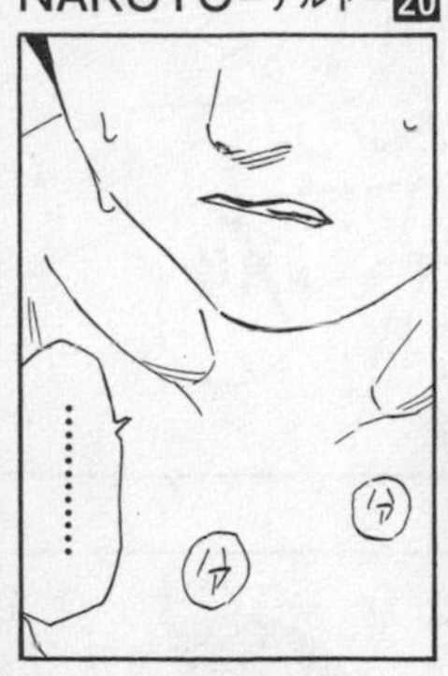
……
ハァ
ハァ

ハァ
ハァ
ハァ
ハァ

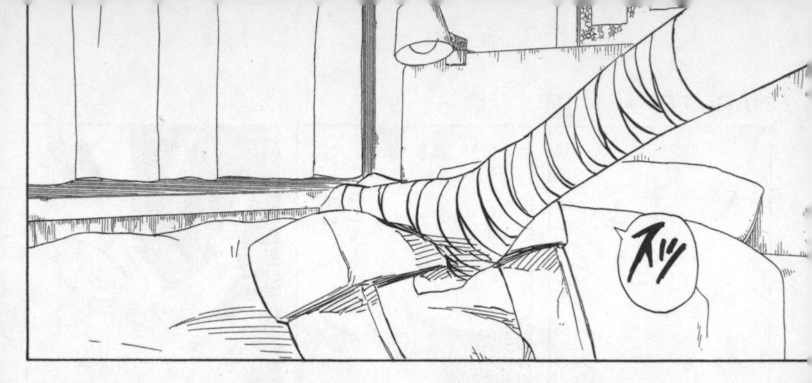
ズッ

……
リー……
ズッ

コッ

コッ コッ

……
綱手様…
バタン

気持ちは痛いほど分かるけどね
ハッキリと言った方がいい

バシ
バシ

ガイ先生！
ボクはまだまだこんなことではあきらめません！

ガイ先生この食べにくくとてつもなく苦いダンゴは何です？
ゲロゲロ
オレが作った特別青春漢方丸だ！

それ100個食べればケガは治るハズだ！
なるほど…100個食べなかったらケガは治らないのですね！

ウオオオオオ
一日でじゃないぞ!!
ガブッ
ガブッ!!

ゴクン
……

……

こんなことなら…
アナタに診せるんじゃなかった…
あの子の願いがどうであれ
忍はあきらめた方がいい
どうせ遅かれ早かれ分かることだ
長引かせれば余計に辛い思いをさせる

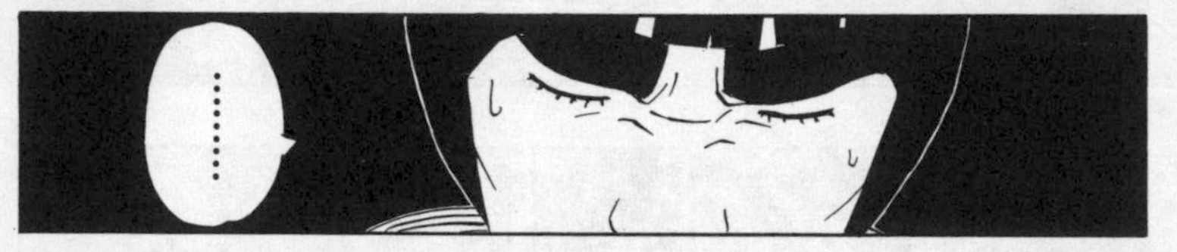
……

焼肉Q

また入院するわよ
チョウジ！
もっと味わって
食べること
知らないのー!?

何人たりとも
この最後のひと口は渡さない！
パク

何カッコつけてんのよ――バカ！

アンタそんなんだからみんなにバカにされんのよ――！
ただのデ…
いの…！

それ禁句
つーかチョウジよォ…めしはバトルじゃねーぜ
こんときぐらいゆっくりしろよめんどくせー

ゴクン
ニコ

いやしい…口悪い…めんどくさがり…こいつら この先大丈夫かな…
…とくに……

チョウジ
お前は 食い気
ばかりだな…
少しは
修業しろよ…
シカマルは
もう
中忍だってのに

……

しゅん

……

ラーメン

んでさ！んでさ！
そん時 オレがラセンガンって必殺技でさドガンてやって
とんこつ ねぎ みそ
そしたら敵がブオーーってなって
そんでさぁ…

ラーメ

……

やっぱサスケんとこ行ってみるってばよ…

タッ

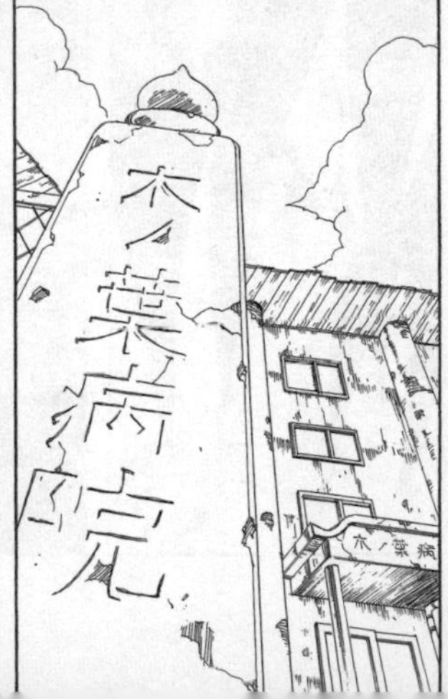
木ノ葉病院
木ノ葉病

シャリ
シャリ

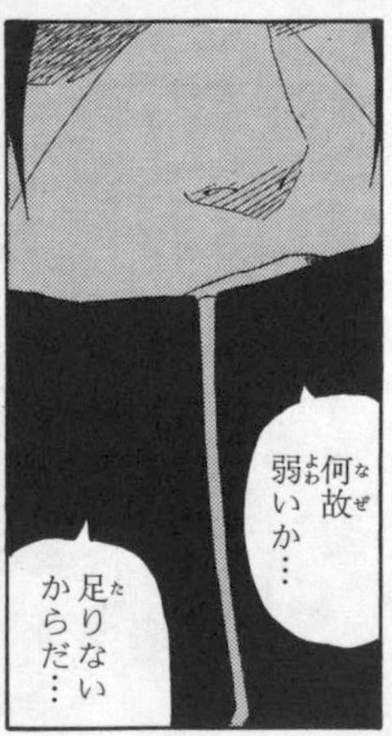
何故弱いか…
足りないからだ…

…憎しみが……

…くっ

うん！
上手くむけた
食べ易いように小さく切ってと…

………

…ありがとう
…今回もサスケくんが砂の手から助けてくれたんでしょ
……イヤ……
お前を助けたのはナルトだよ

アイツはお前を助けるために死にものぐるいで戦った
今までに見せたこともない力を見せてな

……………
ナルト…

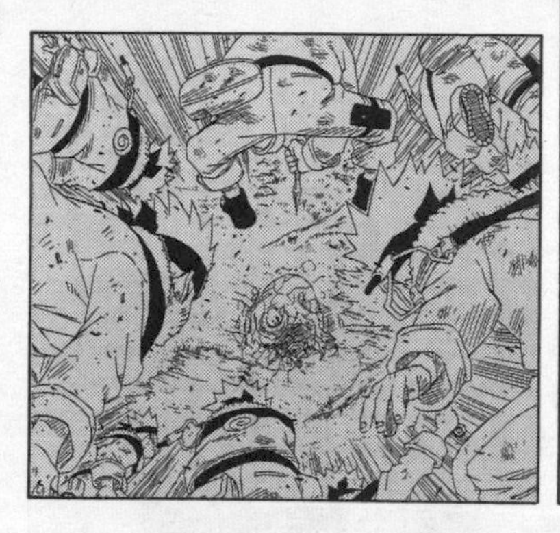

……………

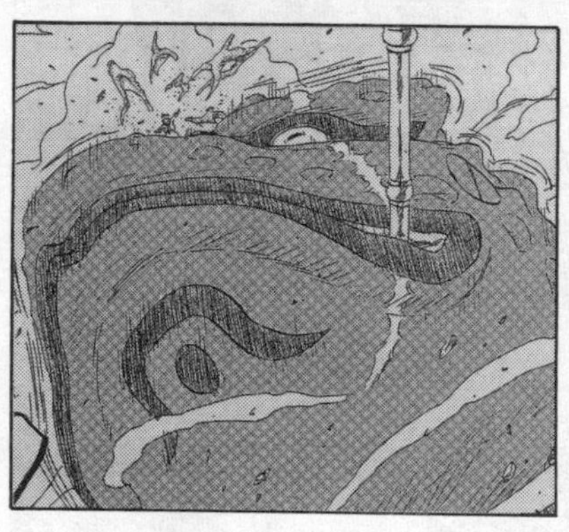

……………

サスケくん
リンゴよ！

ギロ

パシイ
キャ！
ガシャン

……!?
…サスケくん

機は熟したわ…

これから
木ノ葉に
向かいなさい

ナンバー
174：想い、それぞれ…！

コンコン

ふう…やれやれもう任務か

!
バサッ
トン

ムウ…よりによってこんな時に召集とは…

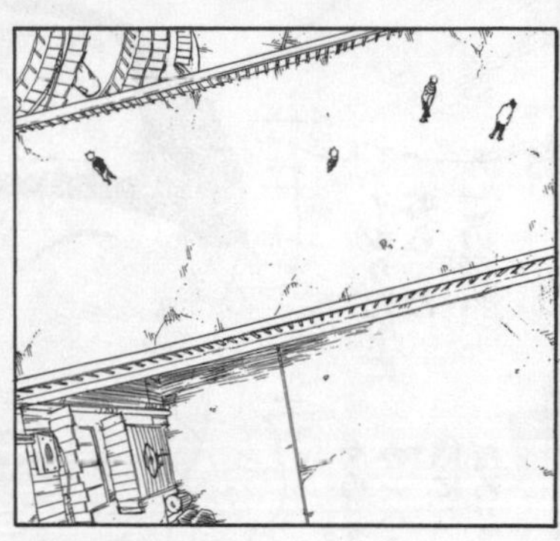

クイ

ナルト
ズズズ
ん～～～？
……
これを欲しがってた時とは比べものにならないほど成長したな
お前…
クイ
！

やっぱし！やっぱし！
そう思う？
イルカ先生にもらったこの額当て
もうオレカンペキ様になってるだろ!!
な～に図に乗ってんだ！
お前なんかまだまだだよもっともっと活躍しないとな
ムスッ
………

あのなぁナルト…
今木ノ葉は大変なんだぞ
三代目を始め多くの優秀な忍を失い… 今じゃ木ノ葉の力は半分以下にまで落ちてる
それでも今まで通り舞い込んでくる数多くの任務はこなして行かなきゃならない
なんで？なんで？
人手が足りないなら断りゃいいじゃん
いやそれじゃダメなんだよ
圧倒的な力で近隣諸国とのパワーバランスを保ってきた木ノ葉だ
任務を断れば
他国に里が弱ってんのを知らせるようなもんだ
そんなこんなで今や忍者学校すら休校状態…
オレも色んな任務をこなしてるくらいだしな
病み上がりのカカシさんにすらもう任務の話が行っているはずだ
楽

とんこつ 八〇
ねぎ 七五
みそ 七〇
んーー…
そうだったのかあ…
大変なんだなぁ…
しお
しょうゆ
コラ 他人事じゃないぞ
お前も額当てが様になってんだったら
里の為に任務をこなさなきゃダメだぞ
うん…！
でもまずはその前に腹ごしらえが先だってばよ!!
ズズ
ハハハ…
お前らしいな
ポン
！
ガンバレよ！

フフン…

よォーしィ!
オレってば ガンバっちゃおー!
ダッ

チョウジ…
アンタは
いいわね
――
ガツガツ
食べても
気にしない
性格で
!
パッ
パッ

私なんて
ダイエットで
大変よ――

なんで
いのは
ダイエット
すんの?

女の子ってのは
好きな人には
ちょっとでも
かわいく見られたい
もんなのよ――

………

でも
その人が
細い人が好きとは
限らないでしょ
フン…
大体 男の子ってのは
デ…じゃなかった…
やせてる女の子が
好きなのよ

ズイ
ジィ~~
で…
逆も また
しかりなのよねエ~~~

チョウジも
少しは 体に
気を使いなよ…
モテないよ~~~

ふん…
分かって
ねーな
!

男は
女が思ってる程
やせてる女が
好きな訳じゃねェ
んだよな
どっちかってーと
ポッチャリ系が好き
ってのが
一番多いんだ

で…逆もまたしかりってな

いのもダイエットするより もう少し太った方が
今の2倍はモテるぜきっと
ふくう
アハハ

……

シカマルはやっぱ面白い奴だ
それに頭がいいしね
ん?

オレは分かってんだ…
サスケやネジって人なんかより
シカマルはずっとずっとスゴい奴だってね

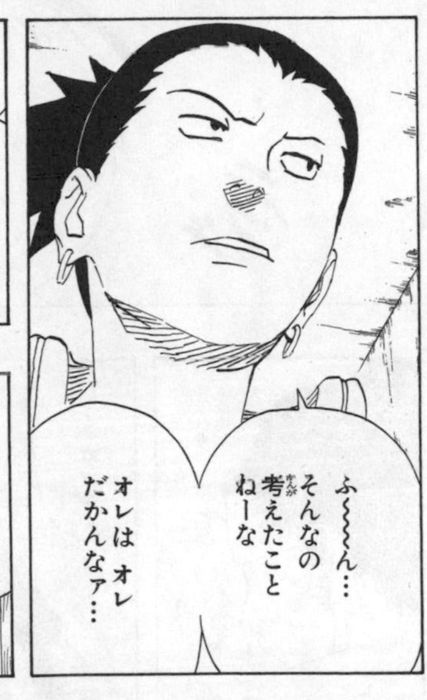
ふ〜〜ん…そんなの考えたことねーな
オレはオレだかんなァ…

……だって
今回の中忍試験で中忍になったのシカマルだけだし…

でもやり合やぁお前の方が強いかもな…
だろ?
お前とやり合ってもギブアップしてたかも知れねーし

でもさっき先生にお前は食ってばっかで成長してないって…
オレはオレだっつったろ
…でお前はお前だ
どっちがどうのこうのなんてくだらねー話だよ

まあんまり気にすんなよアスマの言うことなんてよ
もっと自然のまま気楽に生きてきゃいいんだよ

………
ニコッ

じゃあな!
オレ　帰るわ
オヤジが　新技伝授するなんてめんどくせーこと言い始めやがってよ
…シカマル

…ん?

……

………
何だよ?

へへ……
修業ガンバレよ

……

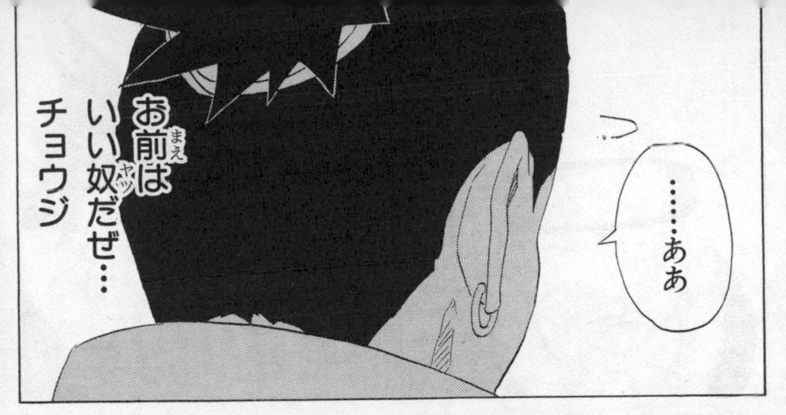
……ああ
お前はいい奴だぜ…
チョウジ

木ノ葉病院
木ノ葉病院

ヒョコ

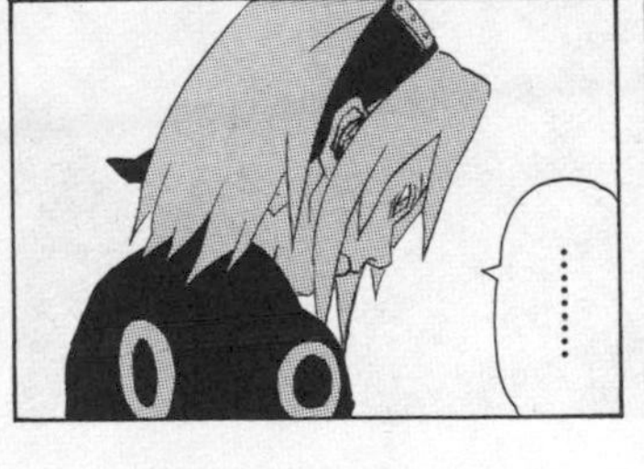
……

!

……!?

な…
なんだよ!?

!

そ…
そんなに にらむ
ことねーだろ?

………

オイ…
ナルト

な…
なんだよ!?

オレと
今から…
戦え!

!

え!?
病み上がりの
クセに
何言ってんだ?

いいから戦え!!

！

！
サスケくん…！

オレを助けたつもりか？

目当てはやはりナルトか

五代目か何か知らねーが…余計な事させやがって

なにィ！

今…お前などに興味は無い！

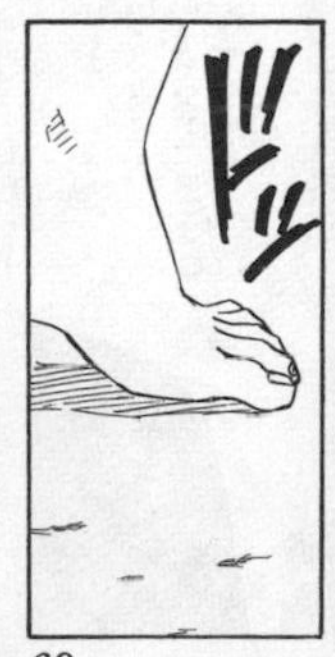
ドッ

サ…
サスケくん
ちょっ… どうし
ちゃったの!?
ナルトも何か
言いなさいよ!
いきなり
こんな…

……ちょうどいいってばよ!
オレも お前と戦りたいと思ってたとこだ…

御結婚＆4周年　おめでとーございます。　健康第一で ひとつ。　田坂亮

ナンバー
175：

バーサス
ナルトVSサスケ!!

ふ…
二人ともやめよ
ね

ついて来い
クイ

!
フン!!

スッ
……

グシャ

……

スタ
スタ

ヒュウウウ
ガチャ
ザッ
……
ザッ

……
何だ…この気持ち
下腹の辺りがキュンとする
オレは お前とも
闘いたい
それに…
ゾクゾクする
ハッ

ピクッ

何が
おかしい?

おかしんじゃねーってばよ
うれしいんだよ
!

お前に…ここでやっと勝てると思ったらな!

ナルト君を連れていくのが
我が組織"暁"から下された我々への至上命令

何だとォ
落ちこぼれがほざいてんなよ

いつまでも落ちこぼれの足手まといじゃねーぜ

今…お前などに興味は無い!

てめェ…このウスラトンカチが
何図に乗ってんだァ!

へっ…
クールなお前がいつになくわめくな
らしくねーじゃねーの？
…もしかしてケンカ売っといてビビってんじゃねーのか？
サスケェ…

さっさと来い！

その前に額当てをしろ
待ってやる
いらねーよそんなもんは…

いいからしろ!!

お前は オレの額に傷一つつけることすら出来やしない！

違うっ!!
これは木ノ葉の忍として
対等に戦う証だって言ってんだよ!

……!
そういうのが図に乗ってるって言うんだ!
てめェとオレが対等だと思ってんのか!?

ああ思ってるっ!!
オレは一度もお前に劣ってると思ったことはねーよ!

目障りなんだよ!!

それはお前が弱いままだからだろーが!
サスケちゃんよォ!!

ナルトォオオ!!
サスケエエッ!!

パシィ
パシィ
バシッ
パシィ
ダッ

バッ
!
!!
ダッ

多重影分身の術!!

!
スッ

ドカ
くわぁ!
ザッ

ガッ
ボン
うわあっ!!

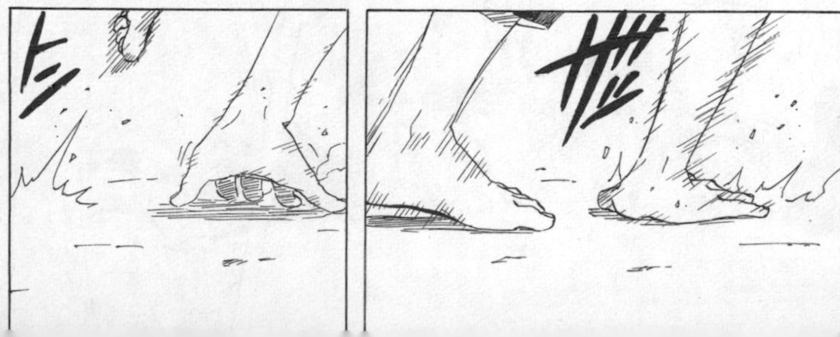
ザッ
トン

ガッ
ドッ
ボン
ボン
！
ガッ
タン
タン
う！ず！
ま！き！

!
!!
ナルト連弾!!!

!
寅の印!!

ゴウ
ボン
火遁!!
豪火球の術!!
ボボボン
あちィ!
うわぁっ!!

!

ゴゴゴゴ
ゴゴゴ
ゴアッ
キィーン
ボン
な…何だ!?
あの術は!!?

キィーン
クソがぁ!
ヅバババ
千鳥(ちどり)!!!
チチチチチ

やめて…
二人(ふたり)とも…

チチチチ

やめてよー!!

にしやん!

ナンバー
176：
ライバルというもの

キーン
バチチチチ
!!

二人とも
やめてェ!!
くそっ!
止めきれねェ!
パ
パッ

うわあっ!
ズン
なっ…

サスケ…
何優越感なんかに浸ってる…
!
ドドドド

…!

さっきの千鳥…
同じ里の仲間に向ける大きさじゃなかったが…

ナルトを殺す気だったのか？

!

何でこんな子供じみたマネを…
やはりイタチとの再会が…

へっ…

ドドド

ぐあっ!
!
うがあっ!!
病院の上で何やってんの?
ケンカにしちゃちょいやりすぎでしょーよ
キミたち

ぐっ…

くっ…

えっ!?

!!
くっ…!

!
カカシ先生!?

今のは…

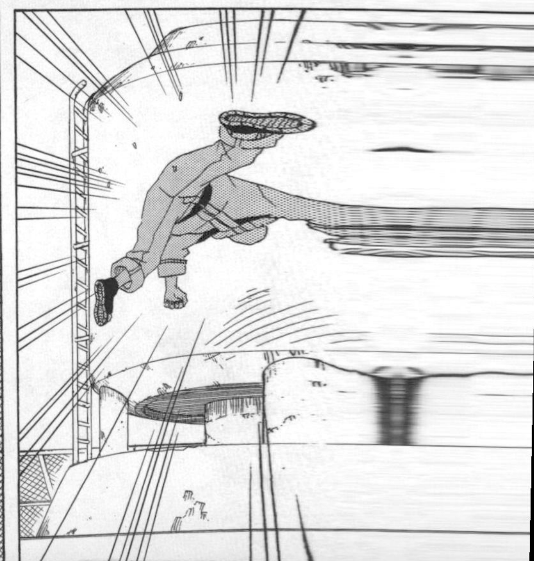

ぐあっ!
!
うがあっ!!
病院の上で何やってんの?
ケンカにしちゃちょいやりすぎでしょーよ
キミたち

ぐっ…
くっ…

!
えっ!?

!!
くっ…!

!
カカシ先生!?

…ナルト…
今のは…

うわぁ!

……

……
スッ

フン
タン

……

！
ザッ
タン
ピチャン
!!

な…何だ
あの穴は…
どうなってる!?

………

ナルト…
お前は一体どこまで…
………

ヒック
ヒック
うっ…うっうっ
カカシせんせェ〜…

ハァ〜〜〜〜……
チームワークはどこへやら…

アナタですか…あの技を教えたのは？
あの術を扱うにはナルトはまだ幼な過ぎると思うんですがね

ヘタしたらサスケを殺してた…

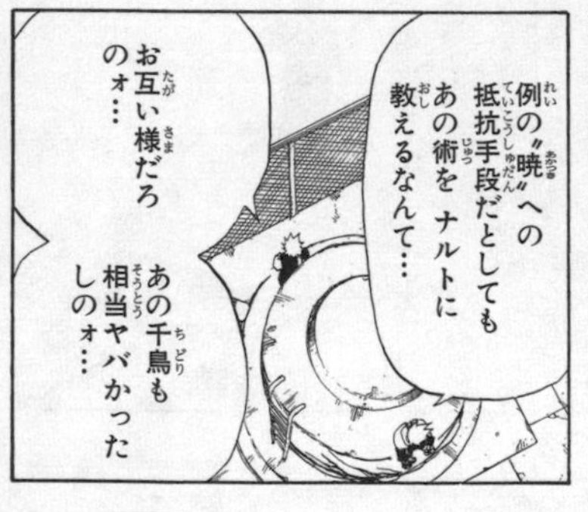

例の〝暁〟への抵抗手段だとしてもあの術をナルトに教えるなんて…
お互い様だろのォ…
あの千鳥も相当ヤバかったしのォ…

………
でもまぁアイツはあの術を仲間に向けて
撃つような奴じゃないと思ってたんだがのォ

…それとも
よっぽどの事が
あのガキとの間に
あるのか？

………

ま…
色々とね
色々？

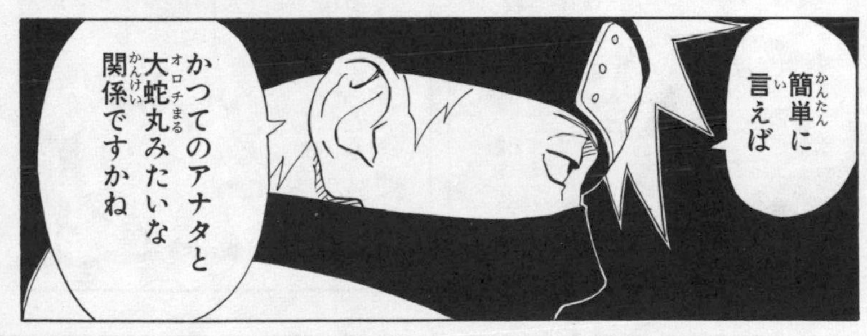
簡単に
言えば
かつてのアナタと
大蛇丸みたいな
関係ですかね

………

ほう…

アイツにとって
サスケは
仲間であると同時に
ライバル…
まぁ常に
対等な存在でありたい
男ってことです

おそらく
………
そのサスケの
安い挑発に
耐え切れなかったん
でしょう…

忍者学校の頃から
ずっと
追っかけて…
追っかけて
来ましたから
ね
今のナルトは
私やアナタじゃあ
なく…

誰からよりも
ただ…
認めて
もらいたいん
ですよ
………
サスケにね

………

一方でサスケはナルトの成長スピードを身近で感じて
劣等感を感じてる
自分がまるで成長していないと思い込んでしまう程に
ナルトは強くなりましたから

ある男を必ず…
殺すことだ

復讐か…
イタチの奴があの子を焦らせてるのかのォ…
トン

だから…サスケはナルトを認めたくない…
スッ

認めてしまえば今までの自分を否定してしまいかねない…
難しいもんですライバルってのはね
スタ

あまりいい傾向じゃあねーのォ…
少し説教でもしてやるかのォ…
ズッ

ではナルトはお任せします
ま！私も任務があるし…
千鳥の事もあるので

トン

ザッ
！

大じょーぶ！
また昔みたいになれるさ！
タッ

……

ザッ

……
ありがと…カカシ先生…

！

今まで オレは…
何をしていたんだ

ギィィ

ギリ

ククク…
いい目をしてる

あと誕生日

御結婚、連載4周年、おめでと〜〜!!!

ナンバー177：音の四人衆
おと よ にん しゅう

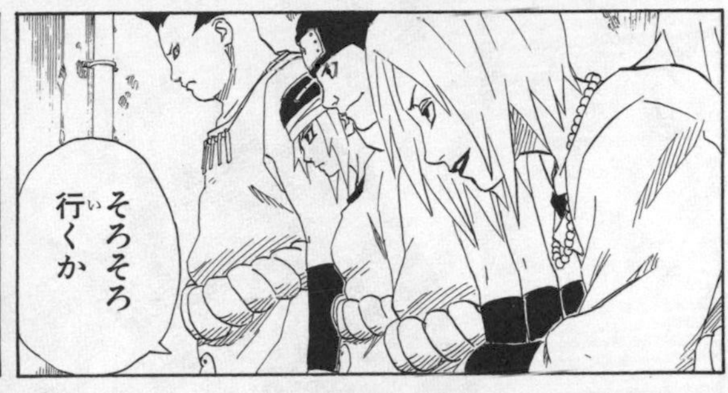
そろそろ行くか

!

シュルルルルルル
!

くっ!
ザッ

!!

177：音の四人衆

何のマネだ!?

こーでもしないと
お前逃げちゃうでしょ
大人しく
説教聞くタイプじゃ
ないからねー

………
あいつは
確か…
コピー忍者の
カカシぜよ…

チッ

……
サスケ 復讐なんて やめとけ

ギッ

ま！ こんな 仕事柄
お前の様な 奴は腐る程 見てきたが

復讐を 口にした奴の 末路は
ロクなもんじゃ ない… 悲惨なもんだ

今よりもっと 自分を傷付け 苦しむことに なるだけだ
たとえ 復讐に成功したと しても… 残るものは 虚しさだけだ

アンタに何が分かる!!
知った風なことをオレの前で言ってんじゃねーよ!

まぁ…落ち着け…

何なら今からアンタの一番大事な人間を
殺してやろうか!

今アンタが言ったことがどれほどズレてるか
実感出来るぜ!
………

そうして
もらっても
けっこーだが
な…
あいにく
オレには
一人も
そんな奴は
いないんだよ

……!

もう…
みんな
殺されてる

オレも　お前より
長く生きてる
時代も悪かった
失う苦しみは
嫌ってほど
知ってるよ

ま！
オレもお前も
ラッキーな方
じゃない…
それは確かだ
でも
最悪でもない

！

………

オレにも
お前にも
もう　大切な仲間が
見付かっただろ

………

失ってるからこそ 分かる…
〝千鳥〟はお前に大切なものが出来たからこそ与えた力だ
ワイ

その力は 仲間に向けるものでも復讐に使うものでもない
何の為に使う力かお前なら分かってるハズだ
ズッ

オレの言ってることがズレてるかどうかよく考えろ
ザッ

………

アレ並みの忍にウロウロされっとやりづれーからよ
少し待つぜよ

お前らみたいなビチグソヤロー共じゃダメでも
ウチならやれる

ふん どうかねェ…
二人いりゃ十分首チョンパでバーラバラだけどよォ

いちいち口出しするなゲスチンヤローが
チィ…

多由也…
女がそういう言葉をあんまり…

くせーよデブ

……

……

ちくしょう…

ちくしょう…

手術が成功する確率は多分良くて50%
失敗すれば死ぬ!!

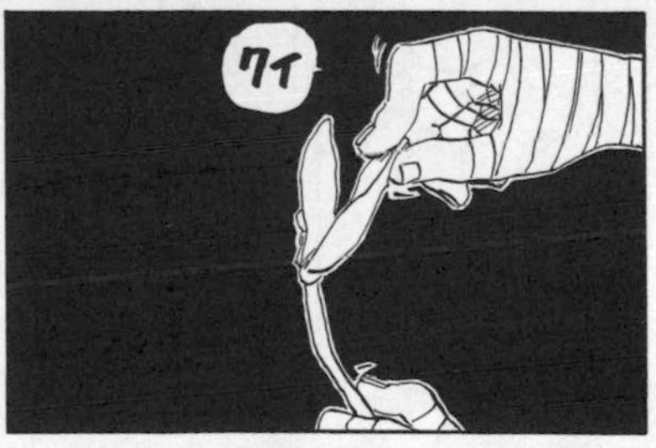
クイ

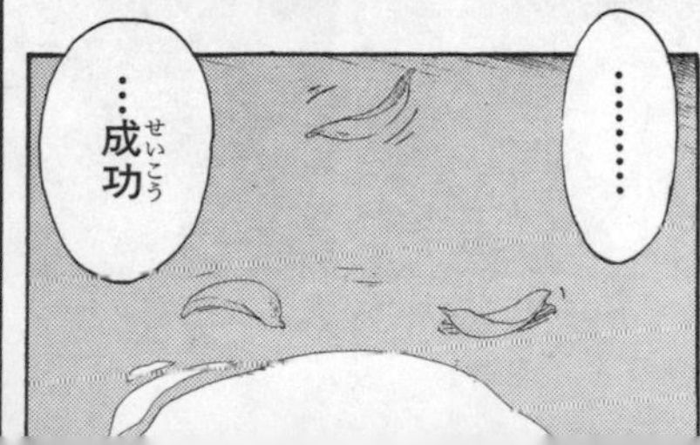
………
…成功

ポッ

何も四人全員を行かせなくても
良かったんじゃないですか？

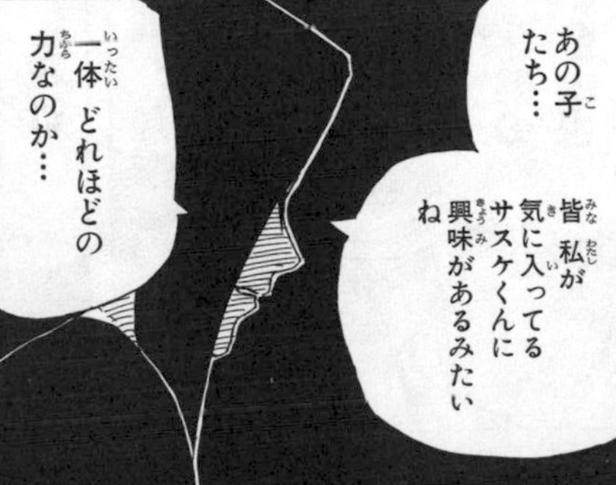
あの子たち…
皆 私が気に入ってるサスケくんに興味があるみたいね
一体 どれほどの力なのか…

力比べも何も…
今のサスケくんぐらいでは相手にもならないでしょう

クク……
だからこそすぐにでも…
私に力を求めてくるのよ…

何者だお前ら…!?

音の四人衆
東門の鬼童丸

同じく
南門の次郎坊

同じく
西門の左近

同じく
北門の多由也

……

ザッ
ザッ
ザッ
ザッ

ガッ

ザッ

ドッ

ゴッ

ブン
ズッ
サッ
ガッ
オラァ!!

ドガ

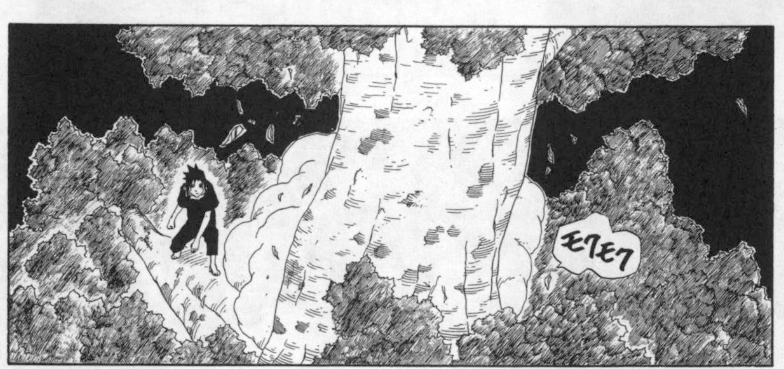
モクモク

!

!!

オレは 今
機嫌が悪いんだ
これ以上
やるってんなら
手加減しねーぜ

178：音の誘い…!!

てめェー
弱えーくせに
ピーコラ
言ってんじゃ
ねーぞ

ホラ
来いよ
クイ
アバラ
ボッキボキで
ドレミファ
ソラシド
奏でてやっから!

ジリ

オレがやる!
トン

ヒュン

ザッ
ニヤ
ビン
ビン
クイ
ギュルルル
ギュキュキュ

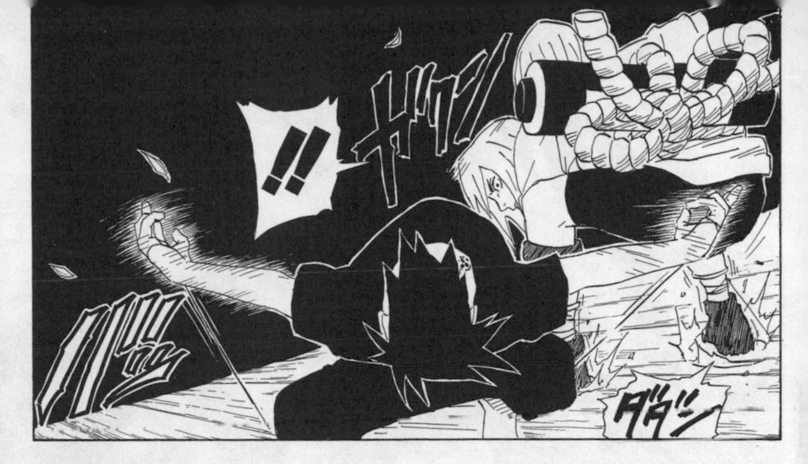
ガクン
!!
ダダッ
バッ

ビン
カッ
グググッ

両足を糸で…!
ググッ

ズッ

!

くっ!

!
ズン
パシ

いい音(おと)奏(かな)でろよ

ド!!
レ!!

!!?
な…
なに!?
ドッ

やけに低音だな
お前の骨
もっとこう
キーンって
響こうぜ
……
なァ!!

どっから攻撃して
きやがった?

!

プク
ブシュ
!
ピク

！
！！
ぐあ！

次(つぎ)はミ・ファ・ソの3コンボいくぜ!!
……くっ!
ドッ
ガッ
ガッ
!

なに!?
フッ
!!

ラストォ!
スッ
獅子連弾!!
バキキキ

サクラちゃん…
……!?
邪魔しないでくれってばよ！

！
……

約束してくれ……
このアザのことは
ナルトには言うな
あいつに
余計な気を遣われても
困るんでな…
……

……

！

ナルト
アンタに少し
話があるの！
デートしてあげるから
ちょっと付き合い
なさいよ！
!?

………

…そっか
そんなことが
あったのか
…
大蛇丸…
オレも
こないだ また
会ったってばよ
え!!
………

元三忍とかでやたら強えーし…アブねー奴だってばよ…
……
……
大丈夫だってばよ！
サスケはあんな奴の誘いになんかのらねーし！
そんなことしなくてもすげー強えー奴だってばよ！オレが保証する!!
！

フン　こんな奴が
何で欲しーのかねェ…
大蛇丸様も…
これじゃ
『君麻呂』の方が
良かったぜ

な…何故だ!?
連弾全てに
手応えはあった…
こいつ…
まるで
ダメージが無い!?

まぁ こんなクズみたいな里にいても
お前は今のまま並の人間どまり…強くはなれねー
ザッ
ザッ
ザッ

仲間とぬくぬく忍者ごっこじゃ
お前は腐る一方だぜ

ウチらと一緒に来い!
そうすれば大蛇丸様が力をくれる!

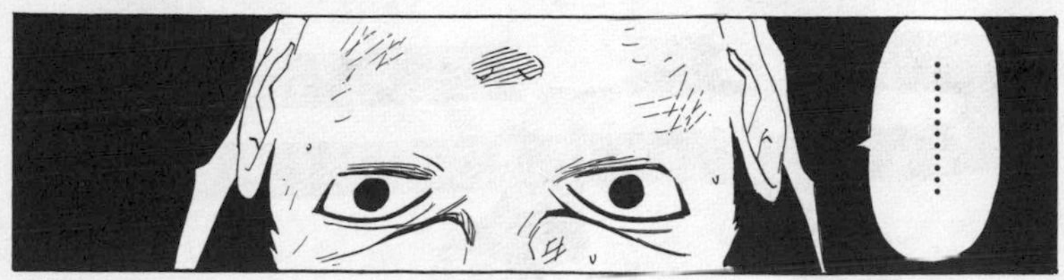
………

岸本さん、誕生日＆御結婚 おめでとうございます!!
ナルトの連載も早4年、完結までにはまだまだ
何年もかかるのでしょうが、健康には十分気をつけて
これからもバリバリがんばり抜いて下さい!!
家庭も大事にネ!!
03. 11. 8
池本幹雄

179：忘れるな…!!

…………

ズキン

ぐっ…

ズ
どうすんだよ!?

ドッ
ぐあっ!!

……
!
ズズッ

ハッキリしよーぜ！グズグズしてんじゃねェよ!!
来るのか？来ねーのか？

…とはいえ無理矢理連れてっちゃあ意味がねーらしいからな……
大蛇丸様もめんどくせー…こんな弱えー奴あんまりグズりゃあ殺っちまいたくなるぜ

殺(や)ってみろ…
ズズズズズズズッ

……
てめー……
"呪印(じゅいん)"を…
ダッ
ウォオオオオ!!

ドカ

ぐっ…

てめーだけが大蛇丸様のお気に入りとは限らねーんだぜ
ズズズ

!!

呪印をあんまりホイホイ使うもんじゃねーぜ
……つーより…
てめーは 呪印をコントロール出来てねーみたいだが…

〝解放状態〟を長く続けていれば
徐々に 身体を呪印が侵食していく…

てめーは まだ〝状態1〟だけみてーだから
蝕まれるスピードも遅いが…
侵食され尽くしたら…

……
ズキッ
スゥ…

自分を無くすぜ
スゥ、
ずーっとな

……！

呪印で力を得た代わりに
大蛇丸様に縛られている
ウチらにもはや自由など無い

何かを得るには何かを捨てなければならない

……

お前の
目的は何だ？
この生温い里で
仲間と 傷の
舐め合いでもして
忘れて暮らすのか？

うちは
イタチの
ことを…
ビクッ

目的を
忘れるな
この里は
お前にとって
枷にしかならない
下らねェ
繋がりも
プチンとすりゃ
いんだよ

そうすりゃ
お前は もっと
素晴らしい力を
得ることが出来る

………

目的を忘れるな…

……

トン

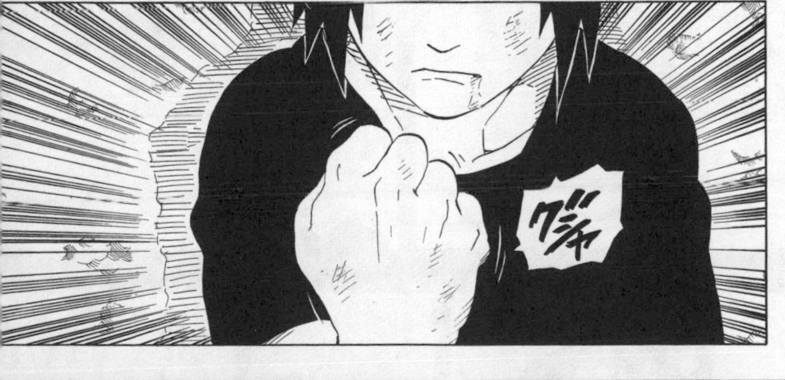
グシャ

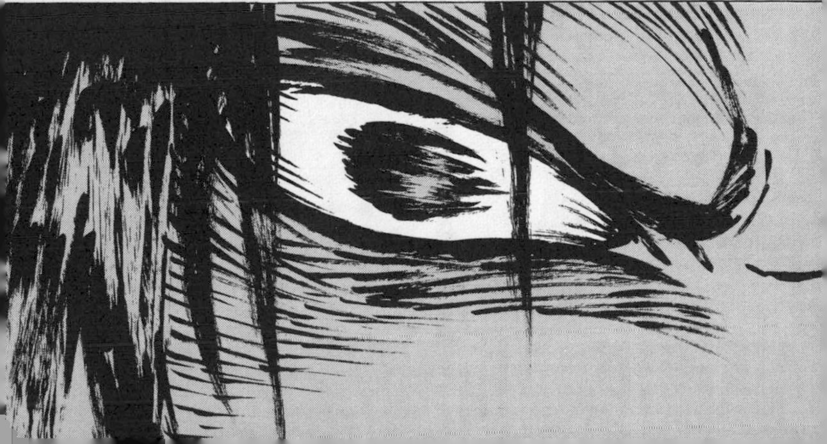

ムム〜〜
分身の術!!

……
し〜〜〜〜ん

変化の術!!

……
し〜〜ん

……
ツ〜!
!
少年……

青春の勲章はさりげない〝熱血〟だ!!
シュビッ
もっともっと頑張れば君はきっとスゴい忍になれるぞ!
………
誰でしょう?すごい濃い人ですが…
………
少年よ大志を抱け!
青春だ!
ガハハさらば!!
スタスタ
………
あの時初めてガイ先生に出会ったんです

そして…
せんせ——!!
シュバッ
ビクッ
たとえ忍術や幻術は使えなくても——
立派な忍者になれることを証明したいです!
それがボクの全てです!!
フッ
キミィ!! 何がおかしいっ!!!
バッ
お前…… 忍術も幻術も使えないって時点で忍者じゃないだろ
何だ? ボケか?

しゅん…
………
〝熱血〟さえあれば そうとも 限らないぞ!!
!
!
フフ…… 良きライバルと 青春し 競い合い 高め合えば
きっと 立派な忍者に なれるさ!!
シュビッ
努力は 必要だけどな!!
………
…ボクは先生に魅かれた

今日はやめよって……
お互い48勝同士!!
この勝負でどちらかが抜きに出る!

フー…ダメだってもダメみたいね…
じゃあ…今回の勝負はオレが種目を決める番だったな…
……ム!
で何にする?
体術合戦か?100m走か?

それじゃさ………
じゃんけん!

じゃんけん……!?
運も実力の内って言うでしょ？

な……なるほど

何か……面倒くさいからいいようにあしらわれてるだけじゃないか？
そうみたいですね…

決して負けんぞオ!!
もし負けたら木ノ葉の里を逆立ちで500周やってやる!!
約束だ!!!

………

またムチャを…
出たよ…またお得意の自分ルール…

そんなことが出来るか…阿呆らしい
まるで子供だな…
…確かにいくらガイ先生でもそれは無理です
……あまりに無謀です
ザッ
ザッ
……
……
ザザッ
じゃんけん!!
ザザッ

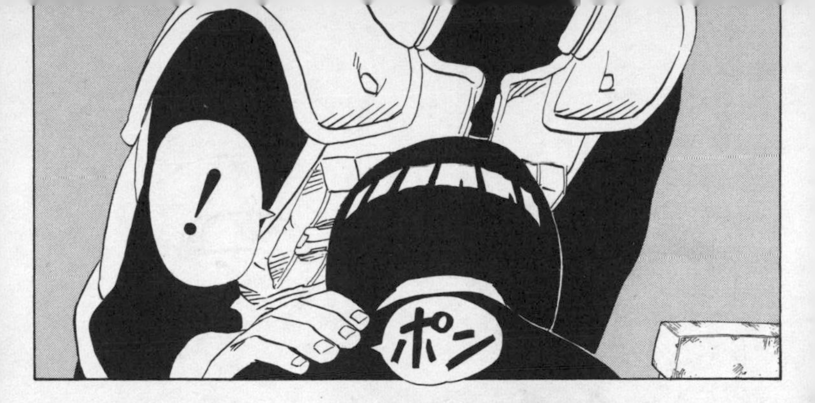
ポン
！

やはりここか……

ガ……ガイ先生…

4th Anniversary!!
サスケみたく死なない程度にがんばってください。とにかく生きる!!
K.TAKAHASHI

ナンバー
180：約束だ!!
やくそく

どうしてここへ…?
お前のことなら何でもお見通しだ!

キラーン

……

………

初めて下忍になった時…
ここでボクの夢…
全てを誓いました

………

あの時ネジに笑われましたが…
ボクは本気でした

たとえ忍術や幻術は使えなくても
立派な忍者になれることを証明したいです!
それがボクの全てです!!

あの時先生は教えてくれました
ライバルと競い青春すればきっと立派な忍者になれると…
そして……

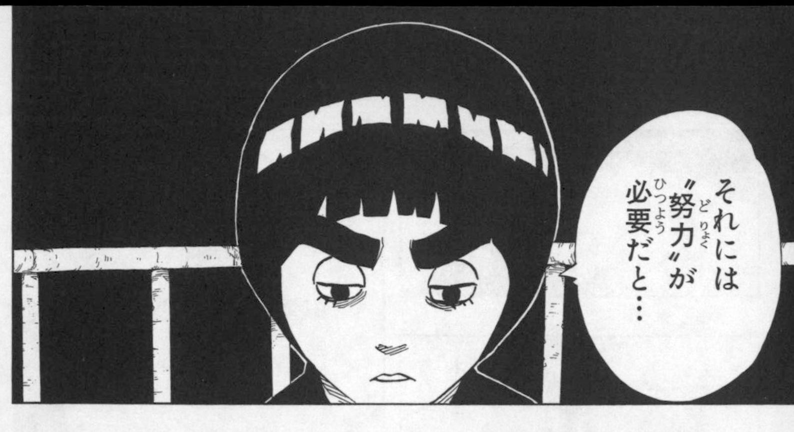
それには"努力"が必要だと…

………

嬉しかったんです
忍者学校時代…ボクにそんなことを言ってくれる友達や先生は…
誰一人としていませんでしたから

へへ…

気持ちが楽になったんです
何をしていいか分からなかったボクに道が開けました

ただ…"努力"をすればいいんだって

ヒュン
ピョン
ピョーン

そして ある時
努力だけじゃ
天才には敵わないと
泣きを入れたボクに
先生はこう言って
くれた
お前は
〝努力の天才〟
だと…

その時
自分の力を信じる
大切さも教えて
頂きました

…!

ツー
手術が
成功する確率は
多分 良くて
50%

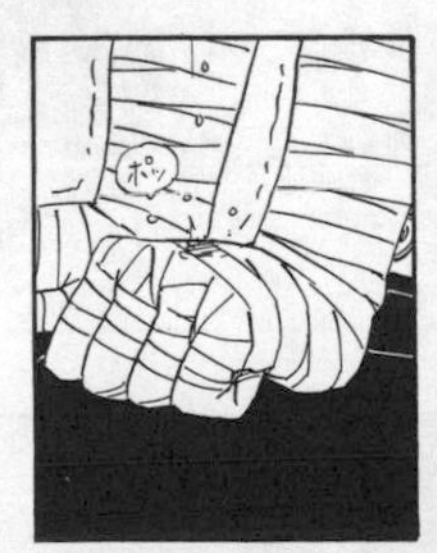
ポッ

……

でも…今回ばかりは
努力してみても自分を信じてみてもどうにもなりそうもありません!

ガイ先生…教えて下さい!

ボクもガイ先生のようになれるでしょうか?

どうして
ボクだけ
こんなことに
なるんです!?

ボクには 死んでも
証明し
守りたい
大切な意志と夢…
己の忍道がありますから…

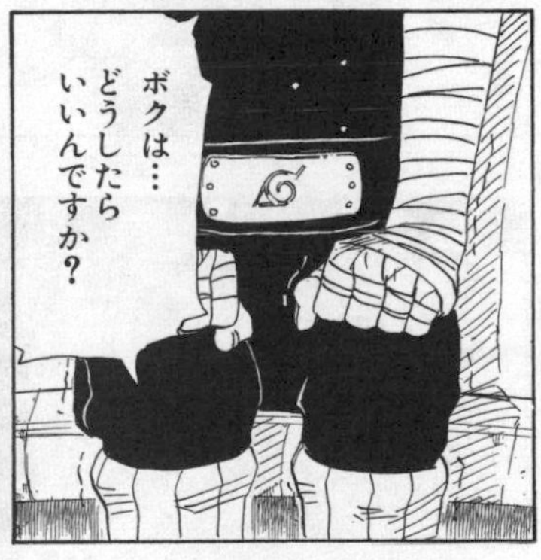
ボクは…
どうしたら
いいんですか？

八門遁甲…
術者の身体を
むしばむ
禁術ですか…

教えて
下さい!!

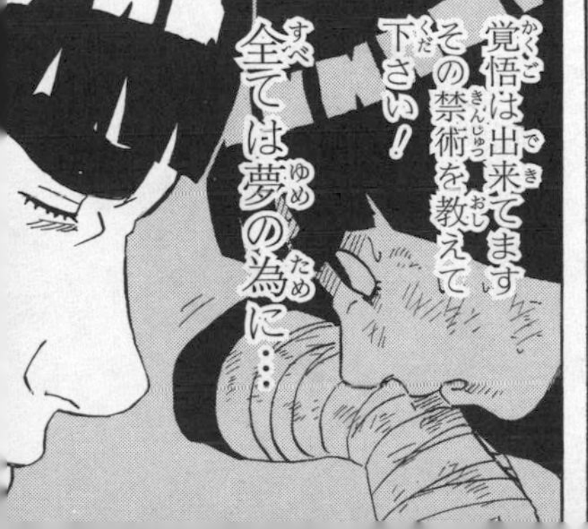
覚悟は出来てます
その禁術を教えて
下さい!
全ては夢の為に…

それがボクの全てです!!

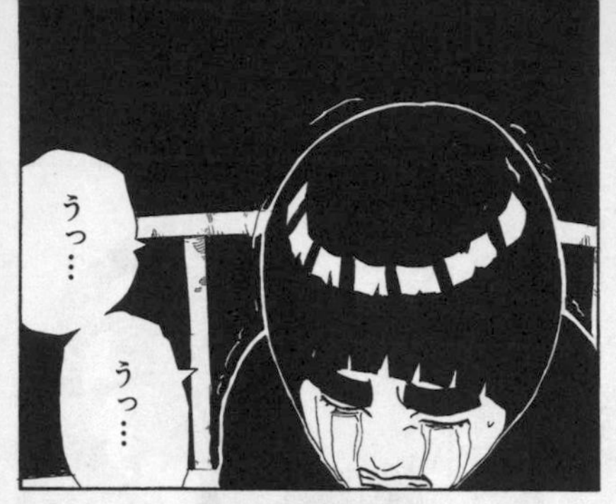
うっ…
うっ…

体術だけで立派な忍者を目指してきた…
これまでそれしかなかった

苦しいだろう…
理不尽に 夢が全ての願いが奪われようとしている

あの子の願いがどうであれ忍は あきらめた方がいい

…リーよ…

その苦しみから解放されたければ…
覚悟を決めることだ！

……！

それは…夢をあきらめるという
覚悟ですか…

己の夢を失えばお前は 今よりも苦しむことになる…
〝忍道〟を失うようなことがあれば生きていけないような馬鹿さ…
オレもお前もな…

手術を受けろ！リー!!

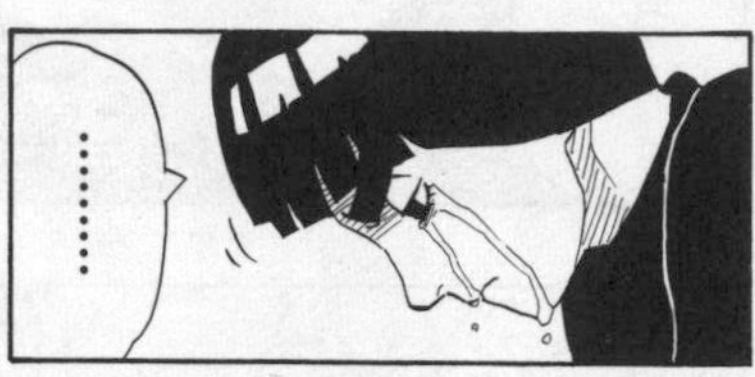
………

さっきまでボクは何故か先生とカカシ先生がじゃんけんで対決をした時を思い出してました
その時先生は運も実力の内だと…言ってましたね

………！

………

…手術も生きるか死ぬかの五分と五分…

でも
じゃんけんとは
違います…

………

あの後の
こと…
覚えてるか
リー…

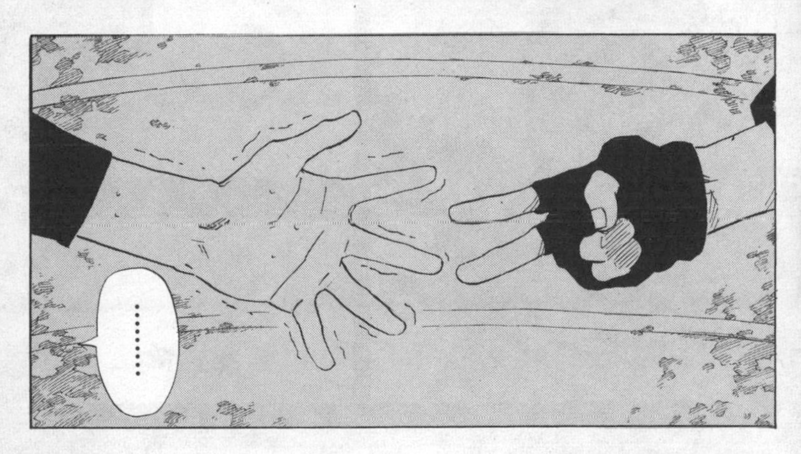
………

くそーーっ!!
テクテク

もし負けたら木ノ葉の里を逆立ちで500周やってやる!!
約束だ!!!
シュビ

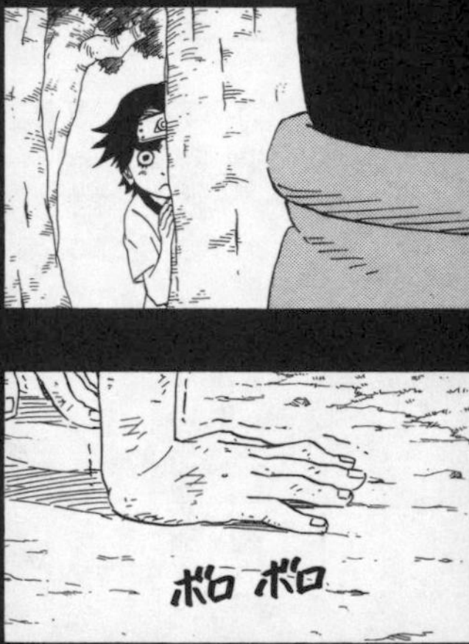
ボロボロ

そんなことが出来るか…
阿呆らしい
まるで子供だな…

くっ…
何のこれしき…

!

どうしたんだリー?

なぜです…?
カカシ先生どころか誰一人として見張っているわけではないのに…

ナイスガイなポーズをしてまで男が格好をつけた以上
約束は死んでも守るもんだ!

………
約束だ!!!
シュビ

何だ？
どうしてガイ先生はああやっていつも…
何かをする前に変なルールを決めるのですか？

フフフ…よくぞ訊いたなリー…
お前って奴はまったくいい所に気が付く奴だ!!

よし！教えてやろう
ただし！他の者には秘密だぞ!!
…な…何でしょう…？

これはズバリ…勝利を呼び寄せる修業！
〝自分ルール〟だ!!

例えば…
「じゃんけんに
負けたら
500周する」という
地獄のルールの
裏には

「500周すれば
次は絶対に
カカシに勝つこと
が出来る」という
天国の未来を
呼び寄せるパワー
がつまってる

つまり
500周という
〝枷〟をもって
闘うことで

じゃんけんという
闘いに
真剣に取り組む
ことが出来るという
利点がまず一つ

さらに たとえ
負けた場合でも

500周を
実践することによって
自分を厳しく鍛える
ことが出来るという
〝究極の二段構え〟に
なっている

なるほどです!!
よーし！じゃあオレはもうひとふんばり…
500周ボクもお付き合いします！ボクの〝自分ルール〟は…
おい！おい！ムチャはよせリー！
ガイ先生についていけなければボクは
さらに努力する…です！
………
つまり先生を目指しさらに努力すれば
きっと立派な忍者になれる…ってことです!!

よーーし！じゃあ オレのルールにも追加だ!!
もし お前が オレに 最後までついて 来れなかったら…

オレの命を懸けて お前を鍛える…だ!!
命を懸けて 鍛えれば お前は きっと立派な 忍になれる!!
………

約束だ!!

フフ……そうでした…
あの時 初めて "自分ルール"を教えて頂いたんですね…
………

努力を続けてきたお前の手術は必ず成功する!!
きっと天国の未来を呼び寄せる
もし一兆分の一失敗するようなことがあったら…オレが一緒に死んでやる!

お前に会った時からオレの〝忍道〟はお前を立派な忍者に育てることだった
…約束だ!!
シュビ

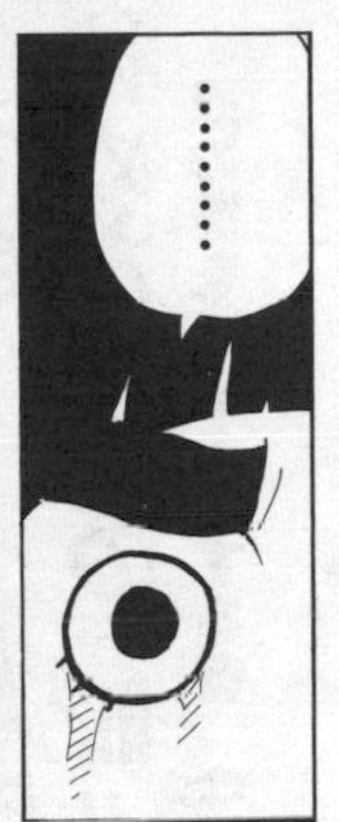
………

〝忍道〟を失うようなことがあれば
生きていけないような馬鹿さ…
オレも お前もな…

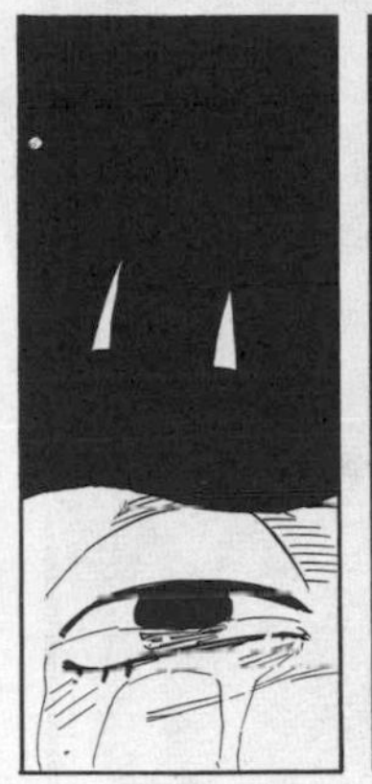

ガッ
ガイせんせー!!

うわあぁあ〜〜〜〜ん!!
さぁ…行くか

全てを秘めた珠玉の一冊!!
―忍の道を臨まんとする者 今此の書を開くべし―
岸本斉史
秘伝・
キャラクターオフィシャルデータBOOK
桜
NARUTO
-ナルト-
JUMP COMICS
秘伝・臨の書
ひでん・りんのしょ
キャラクターオフィシャルデータBOOK
JC判 全272ページ
キャラクタープロフィール・術データ完全網羅!!
只今うずまき大絶賛発売中!!

■ジャンプ・コミックス

NARUTO -ナルト-

20 ナルトvsサスケ!!

2003年12月24日　第1刷発行
2017年6月6日　第48刷発行

著者　岸本斉史

編集　株式会社　ホーム社
東京都千代田区神田神保町3丁目29番　共同ビル
〒101-0051
電話　東京　03(5211)2651

発行人　鈴木晴彦

発行所　株式会社　集英社
東京都千代田区一ツ橋2丁目5番10号
〒101-8050
03(3230)6233(編集部)
電話　東京　03(3230)6191(販売部)
03(3230)6076(読者係)

Printed in Japan

印刷所　共同印刷株式会社

ISBN4-08-873552-8 C9979